ISBN 978-2-211-01784-8
Première édition dans la collection *lutin poche* : septembre 1987
© 1985, l'école des loisirs, Paris
Loi numéro 49 956 du 16 juillet 1949 sur les publications
destinées à la jeunesse : septembre 1987
Dépôt légal : avril 2009
Imprimé en France par Aubin Imprimeur à Poitiers

Claude Boujon

Bon appétit !
Monsieur Lapin

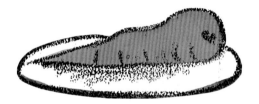

lutin poche de l'école des loisirs
11, rue de Sèvres, Paris 6ᵉ

Monsieur Lapin
n'aime plus les carottes.

Il quitte sa maison
pour aller regarder
dans l'assiette
de ses voisins.

« Que manges-tu ? » demande-t-il
à la grenouille.
« Je mange des mouches »,
répond la grenouille.
« Pouah ! »
fait Monsieur Lapin.

« Que manges-tu ? » demande-t-il
à l'oiseau.
« Je mange des vers »,
répond l'oiseau.
« Beurk ! »
fait Monsieur Lapin.

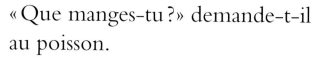

«Que manges-tu?» demande-t-il
au poisson.
«Je mange des larves»,
répond le poisson.
«Très peu pour moi»,
dit Monsieur Lapin.

« Que manges-tu ? » demande-t-il
au cochon.
« Je mange n'importe quoi »,
répond le cochon.
« Eh bien, pas moi »,
dit Monsieur Lapin.

« Que manges-tu ? »
demande-t-il
à la baleine.

«Du plancton»,
répond la baleine.

«Qu'est-ce que c'est que ça?»
dit Monsieur Lapin.

« Que manges-tu ? » demande-t-il
au singe.
« Des bananes »,
répond le singe.
« Ça ne pousse pas dans mon jardin »,
dit Monsieur Lapin.

«Que manges-tu?» demande-t-il
au renard.
«Je mange du lapin»,
répond le renard.
«Au secours!»
crie Monsieur Lapin.

Le renard se précipite sur lui
pour le manger…

… mais n'arrive qu'à
lui croquer les oreilles.
Monsieur Lapin, tout tremblant,
rentre vite chez lui.

Comme les carottes font pousser
les oreilles des lapins,
il s'en prépare une grande marmite.

Il trouve ça très bon.
Bon appétit ! Monsieur Lapin.